Chloé, la fée des topazes

Pour Rachel et Anna Prockter,
deux amies fées

Un merci tout particulier
à Linda Chapman

Catalogage avant publication
de Bibliothèque et Archives Canada

Meadows, Daisy
Chloé, la fée des topazes / Daisy Meadows ;
illustrations de Georgie Ripper ;
texte français de Dominique Chichera.

(L'arc-en ciel magique. Les fées des pierres précieuses ; 4)
Traduction de: Chloe, the topaz fairy.
Pour les 4-7 ans.

ISBN 978-0-545-98196-5

I. Ripper, Georgie II. Chichera, Dominique III. Titre.
IV. Collection : Meadows, Daisy. Fées des pierres précieuses ; 4.

PZ23.M454Ch 2009 j823'.92 C2009-902253-2

Édition publiée par les Éditions Scholastic,
604, rue King Ouest, Toronto (Ontario) M5V 1E1,
avec la permission de Rainbow Magic Limited.

5 4 3 2 1 Imprimé au Canada 09 10 11 12 13

Chloé, la fée des topazes

Daisy Meadows

Illustrations de Georgie Ripper

Texte français de Dominique Chichera

Éditions
SCHOLASTIC

Le palais du
Royaume
des fées
Le parcours
aventure
Le
manoir
Combourg
La ville de
Combourg
Le
grand
magasin
de
jouets
La fontaine

L'arbre
rabiscoté
Le château
de glace
du Bonhomme
d'Hiver
Pégase
Le village de Fleurine
La maison
de Rachel
L'épouvantail
La ferme
du bouton
d'or
Le
châtaignier

Ma magie glaciale a envoyé au loin
les sept joyaux puissants, rien de moins!
Fini la magie des fées! Fini les merveilles!
et mon château ne fondra pas comme neige au soleil.

À la recherche de leurs grandes réserves magiques,
les fées retrouveront peut-être les pierres magnifiques,
mais j'enverrai mes gnomes les surveiller,
et rendre leur mission extrêmement compliquée.

Table des matières

Des gnomes déguisés

— Oh! un magasin de costumes! dit Karine Taillon en désignant l'un des magasins qui bordent la rue principale du village de Fleurine.

— Formidable! réplique Rachel Vallée d'un ton joyeux. Allons choisir nos costumes pour la fête d'Halloween chez Isabelle en attendant l'arrivée de l'autobus.

— D’accord, approuve Karine.

Elle passe la semaine chez Rachel. Les deux fillettes viennent d’aller jouer aux quilles avec quelques amies d’école de Rachel. L’une d’entre elles, Isabelle, les a toutes invitées à une fête d’Halloween pendant la fin de semaine.

— En quoi veux-tu te déguiser? demande Karine.

— En quelque chose de magique, bien sûr! répond Rachel en souriant.

Karine lui retourne son sourire. Elles aiment toutes les deux la magie parce qu’elles partagent un grand secret. Elles sont amies avec des fées!

Leurs aventures magiques ont commencé un été, lorsqu'elles ont aidé les fées à empêcher le Bonhomme d'Hiver d'emporter les couleurs loin du Royaume des fées. Depuis, le roi et la reine des fées leur ont demandé à plusieurs reprises de les aider. En fait, Rachel et Karine sont au beau milieu d'une autre aventure magique. Le méchant Bonhomme d'Hiver leur cause encore des ennuis!

Cette fois, il a volé les sept joyaux magiques de la couronne de la reine Titania. Ces pierres précieuses sont très spéciales, car elles permettent de contrôler les précieux pouvoirs magiques des fées, comme l'habileté de voler ou d'envoyer de beaux rêves aux enfants dans le monde des humains. Chaque année, au cours d'une cérémonie particulière, les fées rechargent leur baguette avec la magie des joyaux. La cérémonie annuelle est sur le point d'avoir lieu et, si on ne retrouve pas les pierres précieuses, les fées ne disposeront plus de leurs pouvoirs magiques!

Le Bonhomme d'Hiver a essayé de garder les joyaux pour lui, mais leur magie est si puissante que son château de glace s'est mis à fondre.

De rage, il a lancé les pierres précieuses dans le monde des humains. Puis, il a envoyé ses méchants gnomes pour les garder afin que les fées ne puissent pas les retrouver.

Rachel et Karine ont déjà aidé trois des fées des pierres précieuses à récupérer leur pierre magique. Mais il leur en reste encore quatre à retrouver!

— Crois-tu que nous allons trouver une autre pierre aujourd'hui? murmure Rachel en se hâtant vers le magasin.

— Je l'espère bien, répond Karine.

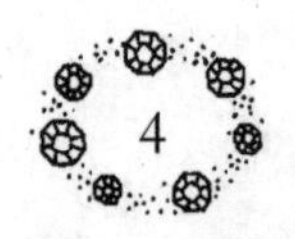

Un petit garçon et sa mère admirent la vitrine.

Il y a des lanternes de toutes les couleurs et deux mannequins vêtus de costumes d'Halloween. L'un est habillé en sorcière et l'autre en gnome.

Soudain, le garçonnet pousse un cri.

— Maman! As-tu vu? Le gnome vient de bouger!

Rachel et Karine s'arrêtent à leur hauteur et échangent un regard entendu.

— Ne dis pas de bêtises, Tom, répond sa mère en riant et en l'entraînant plus loin. Il est temps de partir!

— Un mannequin gnome qui bouge? lance Karine. Nous ferions mieux d'aller jeter un coup d'œil.

Les fillettes regardent plus attentivement la vitrine. Le mannequin que le garçonnet a remarqué porte un costume vert de gnome et un petit chapeau rouge. Rachel écarquille les yeux en observant son long nez, ses yeux de fouine et ses grands pieds.

— Ce n'est pas un costume de gnome! s'écrie-t-elle. C'est un *vrai* gnome!

— Et regarde la sorcière, ajoute Karine.

Le mannequin porte une longue jupe noire et un chapeau pointu. Il tient le manche d'un balai. Cependant, son long nez bosselé et son menton plein de verrues ressemblent horriblement à ceux d'un gnome.

— La sorcière est un gnome, elle aussi! souffle Rachel.

Karine prend le bras de son amie.

— Oh, Rachel, s'il y a des gnomes dans la vitrine, c'est peut-être parce qu'une des pierres précieuses se trouve à l'intérieur du magasin!

À la recherche de la magie

— Allons jeter un coup d'œil! s'écrie Rachel.

Les fillettes poussent la porte et descendent précipitamment les trois marches qui mènent au magasin. Une vendeuse vient à leur rencontre. Elle a des cheveux bruns frisés et affiche un sourire chaleureux.

— Bonjour, dit-elle en faisant un détour

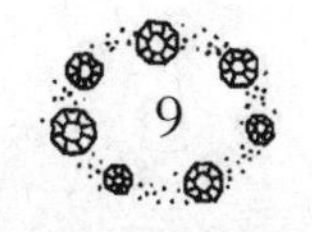

pour éviter un énorme tas de seaux en forme de citrouilles placés près de la porte. Puis-je vous aider?

Rachel sent son cœur faire un bond.

— Hum... commence-t-elle d'un ton incertain.

Il est difficile de se concentrer en sachant que deux gnomes sont cachés à quelques pas de là.

— Serait-il possible de voir quelques

costumes, s'il vous plaît? s'empresse de demander Karine. Nous allons à une fête d'Halloween en fin de semaine et nous n'avons rien à nous mettre.

— Eh bien, vous êtes au bon endroit! réplique la vendeuse en souriant. Je m'appelle Marie et je suis sûre que je peux vous aider à trouver un costume. Avez-vous déjà quelque chose en tête?

Karine regarde autour d'elle et remarque un étalage de costumes de chats.

— J'aimerais bien essayer un costume de chat, dit-elle.

— Nous en avons différents modèles, répond Marie. Et pour vous? ajoute-t-elle en se tournant vers Rachel.

Rachel réfléchit. Il faut fouiller le magasin pour trouver la pierre magique. Si Karine peut tenir Marie occupée, elle réussira peut-être à faire le tour des étalages.

— Je n'ai pas encore décidé, répond-elle. Puis-je jeter un coup d'œil partout?

— Bien sûr, répond Marie.

Elle se tourne alors vers Karine en lui adressant un sourire et ajoute :

— Venez avec moi jusqu'à la cabine d'essayage et je vous apporterai un costume de chat à votre taille.

Karine suit Marie tandis que Rachel se promène dans le magasin.

De nombreux costumes sont accrochés sur les présentoirs, et les étagères croulent sous les perruques, les accessoires de maquillage et les masques. Rachel remarque un bac contenant des épées en plastique et un support rempli

d'ailes et de baguettes de fées. *S'il y a une pierre magique dans ce magasin,* se dit-elle, *elle peut être n'importe où!*

Son regard se pose sur un étalage situé au fond, représentant une scène de pirates.

Il y a deux mannequins vêtus de costumes de pirates sur la plage de sable d'une fausse île déserte, et chacun porte un bandeau sur l'œil. Entre eux deux s'élève un palmier. Il y a aussi

un gros coffre qui déborde de chaînes en or et de colliers de perles. *Ce serait l'endroit idéal pour cacher un joyau,* pense Rachel.

Elle s'approche du coffre au trésor. Son cœur fait un bond; une douce lumière dorée émane du coffre. *La magie!* pense Rachel en remarquant la façon dont les chaînes en or brillent et scintillent. *Ce doit être cela!* Elle retient son souffle et soulève le lourd couvercle du coffre.

Soudain, un flot d'étincelles orange et or jaillit dans les airs. Rachel sursaute et manque de lâcher le couvercle. Tourbillonnant au milieu des étincelles, une toute petite fée apparaît!

— Bonjour! dit la fée d'un ton enjoué.

Elle porte une jupe à volants jaune, un cache-cœur orange et des chaussures vernies orange. Ses cheveux noirs et ondulés sont retenus par un bandeau rouge.

— Bonjour! répond Rachel d'un air ravi en reconnaissant la fée. Tu es Chloé, la fée des topazes, n'est-ce pas?

— Oui, c'est moi! acquiesce Chloé d'un signe de tête.

Rachel jette un coup d'œil par-dessus son épaule. Heureusement, Marie est occupée à choisir un costume avec Karine et elle n'a pas remarqué Chloé. Rachel emmène la fée derrière un présentoir à costumes.

— La topaze est-elle dans le magasin? lui demande-t-elle. Karine et moi avons l'impression que la pierre magique ne devrait pas être loin.

— La topaze n'est pas loin, je le sens, répond Chloé en se posant au creux de la main de Rachel, mais je ne l'ai pas encore trouvée. J'étais en train de chercher dans le coffre lorsque le couvercle s'est refermé. J'ai été emprisonnée à l'intérieur. Merci de m'avoir secourue.

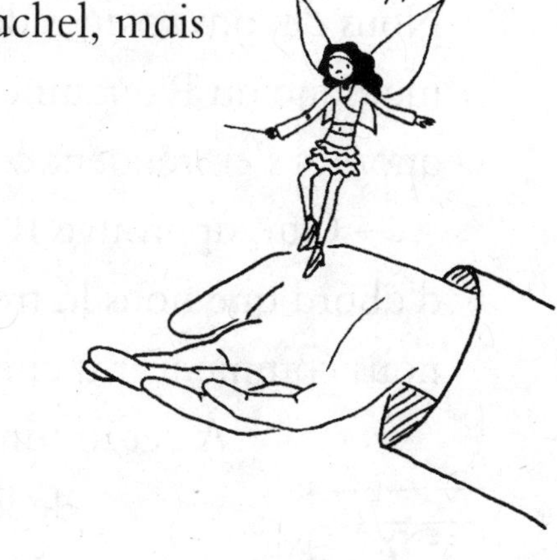

— De rien, dit Rachel avec un sourire.

Elle regarde furtivement de l'autre côté du présentoir et ajoute :

— As-tu vu les gnomes?

Chloé prend un air inquiet.

— Les gnomes! Quels gnomes?

— Il y a deux gnomes dans la vitrine. Ils font semblant d'être des mannequins, explique Rachel.

Chloé est parcourue de frissons.

— Ils doivent être là pour garder la topaze. Nous devons essayer de rapporter la pierre magique au Royaume des fées sans que les gnomes s'en rendent compte.

— Oui, approuve Rachel, mais il faudrait d'abord que nous la trouvions. Où devons-nous commencer à chercher?

À cet instant, elle entend la porte de la cabine d'essayage qui s'ouvre. Elle regarde ce que fait Karine.

— Ce costume de chat te va très bien, dit Marie à Karine. Mais il te manque des oreilles de chat! Attends, je vais en chercher à l'arrière.

Rachel attend que

Marie s'éloigne, puis elle se précipite vers son amie.

— Karine! souffle-t-elle.

— Qu'y a-t-il? As-tu trouvé quelque chose? Oh!

Elle pousse un cri en apercevant Chloé qui volète près de Rachel. La petite fée lui adresse un sourire.

— Bonjour, je suis Chloé, dit-elle.

— La topaze de Chloé se cache quelque part dans le magasin, dit calmement Rachel à Karine. Nous devons la trouver!

— À quoi ressemble-t-elle? demande Karine.

— Elle est d'une jolie couleur dorée, réplique Chloé, et elle contrôle la magie qui permet les transformations, donc ouvrez grand les yeux pour repérer tout changement bizarre.

— Elle pourrait être cachée au milieu de ces baguettes magiques, suggère Rachel en désignant un étalage près d'elle. Allons voir.

— Vas-y. De mon côté, je vais inspecter le costume de reine, dit Karine en montrant, près de la vitrine, une magnifique robe de reine munie d'une cape et d'une couronne ornées de pierres brillantes. La topaze pourrait très bien être dissimulée là.

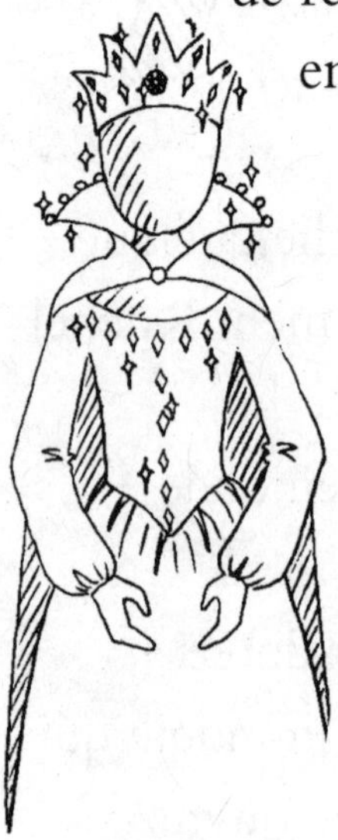

Au même moment, l'ouïe fine de Rachel capte un bruit de pas.

— Attention, Marie revient! souffle-t-elle.

Et elle retourne avec Chloé se glisser derrière le présentoir à costumes.

— Allons vérifier les baguettes magiques, murmure Rachel à Chloé. Si tu te caches dans la poche de mon manteau, Marie ne te verra pas.

Chloé saute dans la poche de Rachel et elles se dirigent vers les baguettes magiques.

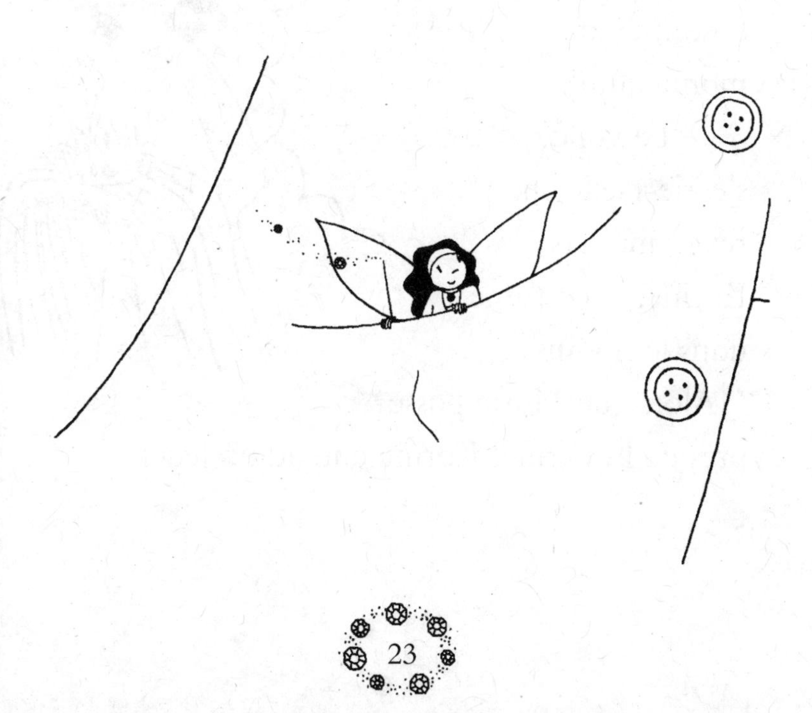

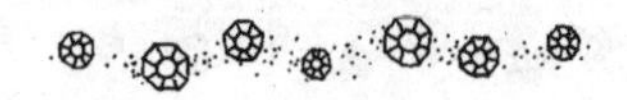

Pendant ce temps, Marie tend à Karine des oreilles de chat.

— Hum, dit Karine, je suis désolée, mais je viens juste de voir ce costume de reine. Il est magnifique! J'aimerais vraiment l'essayer, si vous le permettez.

— Bien sûr! répond Marie d'un ton chaleureux. Je vais le chercher.

Elle se penche vers la vitrine et retire le costume du mannequin.

— Le voilà! s'écrie-t-elle en revenant vers Karine, le costume dans les mains.

Alors que Marie passe près de la vitrine, Karine entend un léger craquement. Un chatoiement doré miroite derrière Marie. Puis, au grand étonnement de Karine, le costume de sorcière que porte le gnome dans la vitrine se change en armure!

Karine étouffe un cri et regarde vivement autour d'elle pour trouver ses amies. Elle est sûre que le changement de costume est dû à la magie de la topaze de Chloé!

Marie s'approche de Karine. Derrière elle, les gnomes dans la vitrine semblent troublés. La visière métallique de l'armure tombe en faisant un bruit sinistre et le gnome qui se trouve à l'intérieur laisse échapper un cri de surprise.

En entendant ce bruit, Marie se retourne et fixe l'armure.

— Mais d'où vient ce costume? murmure-t-elle. Je croyais qu'il y avait un costume de sorcière dans cette vitrine...

Puis, elle se tourne vers Karine et ajoute :

— As-tu vu un costume de sorcière?

Karine ne sait que répondre.

— Hum, je n'ai pas remarqué, réplique-t-elle.

— Quelqu'un a peut-être changé le costume hier. Je ne travaillais pas, reprend Marie, mais je suis étonnée de ne pas l'avoir remarqué plus tôt.

Derrière Marie, Karine voit le gnome au chapeau rouge qui sourit en regardant son compère essayer de soulever la lourde visière de son casque.

Pendant ce temps, Marie déplie le costume de reine pour que Karine puisse l'essayer. On entend de nouveau un léger craquement. Karine regarde nerveusement autour d'elle. Cette fois, elle voit une lueur rouge scintiller dans les airs.

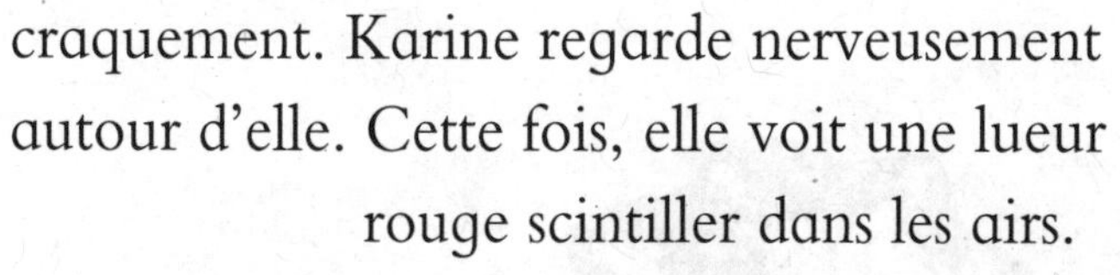

Puis l'arc et les flèches du costume de Robin des Bois qui se trouve tout près se transforment en cornemuse!

Karine met la main devant sa bouche. Elle

espère que Marie n'a rien remarqué. Comment pourrait-elle lui expliquer que Robin des Bois porte maintenent une cornemuse?

Elle se mord la lèvre en voyant les boucles d'oreilles exposées dans une vitrine sur la gauche de Marie se transformer soudain en cannes à rayures blanches et rouges. *La topaze doit se trouver dans quelque chose que tient Marie!* pense Karine.

Soudain, elle voit l'armure descendre de la vitrine avec précaution. Le gnome a réussi à soulever la visière et ses petits yeux méchants fixent le costume que Marie tient dans ses bras. *Oh, non!* se dit Karine. *Le gnome a dû voir la magie opérer, lui aussi.*

Elle observe le gnome qui se dirige à pas lents vers Marie. Mais l'un de ses grands pieds heurte un bac contenant des épées en plastique. Le bruit alerte Marie qui se retourne.

Le gnome saisit une épée et se fige sur place pour faire croire qu'il est un autre mannequin!

— Merci pour le costume, s'empresse de dire Karine pour détourner l'attention de Marie. Puis-je l'essayer?

Marie fixe l'armure d'un air perplexe, puis se retourne vers Karine.

— Bien sûr! Bien sûr!

Elle aide Karine à mettre la robe et drape la cape autour de ses épaules.

Au moment où Karine prend la couronne, elle remarque une grosse pierre dorée, au centre. La pierre semble briller et scintiller. S'agirait-il de la topaze? Karine pose la couronne sur sa tête et ressent aussitôt des vibrations sous l'effet de la magie des fées.

— Oh là là! souffle-t-elle.

— Ça vous plaît? demande Marie en lui adressant un sourire. Je crois que j'ai un sceptre à l'arrière du magasin, qui irait bien avec ce costume. Je vais voir si je peux le trouver.

Dès que Marie s'est éloignée, Karine part à la recherche de Rachel et de Chloé derrière le présentoir.

— J'ai la topaze! dit-elle à voix basse.

— Hourra! s'écrie Rachel.

— Où est-elle? demande Chloé en sortant précipitamment de la poche de Rachel dans un nuage d'étincelles.

— Sur la couronne qui est sur ma tête! répond Karine.

Rachel regarde la tête de Karine d'un air surpris.

— La couronne?

Tu veux dire le turban?

Karine se tourne pour se regarder dans le miroir de la cabine d'essayage et voit que la couronne s'est transformée en turban! Par contre, la topaze dorée brille encore au milieu.

— Elle s'est transformée! souffle-t-elle.

Au même moment, Rachel laisse échapper un cri d'alarme.

— Karine!

— Fais attention! s'écrie Chloé au même instant.

Karine se retourne et s'aperçoit que le gnome en armure s'est approché d'elle pendant qu'elle ne regardait pas. Il glousse bruyamment, fait un pas en avant et arrache le turban et la topaze de la tête de Karine!

Arrêtez ce gnome!

— J'ai la topaze! crie le gnome.

Il titube à travers le magasin avec le turban et son précieux joyau brillant.

— Attrapons-le! crie Karine.

Le gnome se précipite vers la porte d'entrée en faisant cliqueter son armure.

Rachel et Chloé courent à sa poursuite.

— Dépêche-toi! crie le gnome au chapeau rouge en se précipitant vers la porte.

Mais son compagnon a de la difficulté à courir avec son armure. La visière tombe de nouveau devant ses yeux et il ne voit plus rien! Il trébuche et va heurter lourdement la pile de seaux d'Halloween qui roulent sur le sol.

Le gnome bute contre l'un des seaux et perd l'équilibre.

— Aaah! hurle-t-il en tombant par terre.

Le turban lui échappe alors des mains et vole dans les airs.

— Quel maladroit! s'écrie l'autre gnome. Tu ne peux pas faire attention?

— Je ne vois rien, gémit le gnome dans l'armure en essayant de soulever la visière. Et en plus, je me suis fait mal!

— Attrape le turban, Rachel! s'exclame

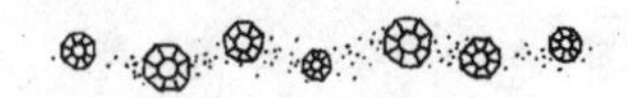

aussitôt Karine.

Rachel se précipite pour l'atteindre, mais le manque. Le turban frappe le sol. Sous le choc, la topaze est expulsée et rebondit sur le plancher, puis roule parmi les seaux éparpillés.

Un craquement se fait entendre et une lumière dorée apparaît. En un clin d'œil, tous les seaux en forme de citrouilles sont devenus... des ananas!

— Où est passée la topaze? lance Karine en faisant un saut.

— Je la vois! crie Chloé en plongeant dans les ananas et en pointant sa baguette.

Karine aussi l'a vue; la topaze se cache parmi les fruits.

Mais alors que Chloé se précipite pour l'attraper, le gnome près de la porte l'aperçoit, lui aussi. Il zigzague parmi les ananas comme s'il était sur la glace et s'empare de la topaze d'une main, juste au moment où Chloé allait l'atteindre.

— Ouille! pleurniche-t-il, car la chaleur du joyau magique brûle sa peau glacée.

Un court instant, Karine a une lueur d'espoir. Elle se rappelle que les gnomes ne peuvent pas toucher les pierres précieuses avec les mains nues. La magie des pierres les brûle! Elle attend donc que le gnome lâche le joyau.

Mais, au lieu de cela, un autre craquement

se fait entendre. Le costume et le chapeau du gnome se transforment en costume d'ourson. Les pattes de l'ourson sont faites de gants en fourrure!

— J'ai la topaze! crie le gnome déguisé en

ourson d'un air triomphal à son ami qui essaie de sortir de son armure. Allons-y!

Il tient la topaze bien serrée dans ses pattes en fourrure et se rue vers la porte.

Chloé fond sur le gnome déguisé en ourson.

— Rends-moi mon joyau! ordonne-t-elle.

— Non! crie le gnome. La topaze n'est plus

à toi. Elle est à nous et tu ne la récupéreras jamais.

— Allez, Karine! crie Rachel. Nous devons l'arrêter!

Les deux fillettes se mettent à courir parmi les ananas en essayant de ne pas glisser. Les gnomes ont atteint les marches. Ils vont se sauver avec la topaze! Mais soudain, Rachel a une idée. Elle attrape un ananas comme si c'était une boule de jeu de quilles.

D'un mouvement d'épaule, elle fait rouler

la boule sur le sol, droit vers les deux gnomes.

L'ananas frappe le pied du gnome qui porte l'armure. Celui-ci pousse un cri de surprise et s'accroche au bras du gnome déguisé en ourson qui est déjà sur les marches. Pendant un instant, les deux gnomes vacillent, leurs bras balayant les airs, puis ils tombent dans l'escalier et atterrissent en tas sur le sol.

La topaze s'envole de la patte en fourrure du gnome et tourbillonne. Lorsqu'elle frôle les

lumières, un autre craquement se fait entendre. Une lueur ambrée se met à scintiller. Puis, soudainement, toutes les lumières du magasin se transforment en petites boules disco miroitant sous l'effet de la magie.

Chloé volète vers la pierre précieuse et l'attrape des deux mains. Mais celle-ci est trop lourde pour qu'elle puisse voler avec.

— Aidez-moi! crie-t-elle, en battant désespérément des ailes.

Elle tombe alors sur le sol en

tenant toujours le joyau.

— Au secours!

Karine s'élance vers la fée, les bras tendus et les mains grandes ouvertes. Chloé et la topaze tombent toutes les deux au creux des mains de Karine qui les ramène vers sa poitrine. Son cœur bat la chamade. Est-ce que Chloé va bien?

— Ouf! souffle Chloé en sortant la tête des mains de Karine et en lui adressant un sourire. Je l'ai échappé belle! Merci

de m'avoir rattrapée, Karine!

— Tout va bien? demande Rachel en se frayant un chemin vers elles et en fixant Chloé.

— Oui, répond Chloé, les cheveux hérissés, mais les yeux brillants. En fait, je vais plus que bien, ajoute-t-elle en jetant un coup d'œil vers les gnomes qui grommellent. J'ai récupéré ma topaze!

C'est alors qu'un bruit provenant de

l'arrière du magasin se fait entendre.

— J'ai trouvé le sceptre! dit Marie d'une voix joyeuse. Je reviens dans un instant, juste le temps de ranger ces boîtes.

— Oh, non! lance Rachel. J'avais complètement oublié Marie.

Elle jette un coup d'œil dans le magasin : des ananas jonchent le sol, des boules disco ont pris la place des ampoules et des morceaux d'armure sont éparpillés partout. De plus, la vitrine est dans un état lamentable, et les deux mannequins sont couchés devant la porte!

— Marie ne sera pas contente de voir le magasin dans cet état! dit Karine.

— Ne t'inquiète pas, réplique Chloé. Maintenant que j'ai récupéré la topaze, je peux arranger ça en un tour de… magie!

Elle pose sa baguette sur la topaze qui se trouve dans la main de Karine, et son extrémité se met à briller comme un rayon de soleil. La petite fée la lève haut dans les airs et, quelques coups de baguette plus tard, des lueurs orange, puis rouges, et enfin dorées scintillent dans le magasin.

Puis, les ananas reprennent l'apparence de seaux en forme de citrouilles, les boules disco redeviennent des lumières, et deux

mannequins apparaissent dans la vitrine. Tout a magiquement repris son aspect initial! Avec un dernier craquement, tous les morceaux de l'armure reprennent place sur une étagère.

— Ouf! Quel soulagement! soupire Rachel.

— Tout est revenu à la normale! dit Chloé en lui adressant un sourire.

— Sauf une chose, dit lentement Karine. Que dira Marie lorsqu'elle verra les gnomes?

Des lapins en peluche

Les gnomes se relèvent en grognant et en se disputant. Leur costume a disparu et ils ont repris leur apparence normale de gnomes verts.

— Pourquoi m'as-tu fait tomber? demande le premier gnome.

— Pourquoi as-tu perdu la topaze? gronde l'autre gnome. Tout est de ta faute!

— De ma faute? De ta faute, oui! crie le premier gnome.

— Oh, non! Comment allons-nous expliquer la présence de ces deux-là à Marie? demande Rachel.

Chloé vole au-dessus des gnomes et lance :

— Je m'en occupe!

— Encore cette fée! grommelle le premier gnome en essayant de frapper Chloé qui s'écarte prestement pour l'éviter. Rends-nous cette topaze.

— Non! répond Chloé d'un ton brusque. Ma baguette est chargée de magie maintenant. Je peux donc vous transformer à ma guise! Si vous ne quittez pas ce

magasin sur-le-champ, je vais vous changer en lapins de peluche roses!

Les gnomes ouvrent la bouche d'horreur.

— Des lapins! s'exclame le premier gnome. Beurk!

— Tu n'oserais pas! dit le second.

Chloé affiche un grand sourire.

— Oh oui, j'en suis capable!

Puis elle se tourne vers Rachel et Karine et leur adresse un sourire espiègle :

— Qu'en pensez-vous?

Rachel lui rend son sourire.

— Je pense qu'ils feraient de beaux lapins, dit-elle.

— Surtout des lapins roses, ajoute Karine.

Chloé lève sa baguette.

— Nooonn!

Les deux gnomes se retournent et grimpent les marches à toute vitesse. En tirant et poussant la porte, ils finissent par l'ouvrir, prennent leurs jambes à leur cou et disparaissent dans la rue.

Rachel, Karine et Chloé éclatent de rire.

— Vous semblez bien vous amuser, les filles, dit Marie en revenant du fond du magasin avec un sceptre dans la main.

Chloé réintègre sa cachette dans la poche de Rachel juste à temps.

— Je suis désolée d'avoir mis tout ce temps, ajoute Marie.

Elle regarde la porte qui vient de se refermer.

— Ai-je manqué un client?

— Pas vraiment, dit Karine, en glissant la topaze dans sa poche d'un geste vif. C'était juste, euh….

— Quelqu'un qui cherchait des ananas, s'empresse d'ajouter Rachel.

Karine s'efforce de ne pas rire tandis que Marie la regarde d'un air surpris.

— Des ananas? demande-t-elle.

— Oui, acquiesce Rachel d'un signe de tête, mais quand ils ont vu que vous n'en vendiez pas, ils sont repartis.

— C'est vraiment bizarre, répond Marie en clignant des yeux. Enfin, voici le sceptre.

Elle tend le sceptre à Karine, puis elle se tourne vers Rachel :

— As-tu choisi un costume?

— Je crois que j'aimerais me déguiser en fée, répond Rachel. Vous avez de belles ailes de fées et des baguettes magiques.

— Oui, approuve Karine en rendant le sceptre à Marie. Je vous remercie de m'avoir laissée essayer le costume de reine, mais je crois que je préférerais me déguiser en fée, moi aussi.

Elle voit la tête de Chloé sortir de la poche de Rachel. La fée sourit et lève le pouce en signe de victoire avant de replonger vivement dans la poche.

Karine retire le costume de reine et chacune des fillettes choisit une paire d'ailes et une baguette.

Juste au moment où elles finissent de payer leurs achats, le téléphone sonne.

— Amusez-vous bien à votre fête d'Halloween, les filles! lance Marie. Et elle se précipite pour répondre au téléphone.

Dès qu'elle a disparu, Chloé sort de la poche de Rachel en voletant dans un nuage de poussière magique.

— J'aimerais pouvoir rester pour votre fête. Je suis certaine que vous serez jolies dans vos costumes de fées! Mais il vaut mieux que je retourne au Royaume dès

maintenant. Merci de m'avoir aidée à trouver la topaze!

Karine prend la pierre qui se trouve dans sa poche.

— La voici, dit-elle en la tendant à la fée.

Chloé pose sa baguette sur la pierre dorée

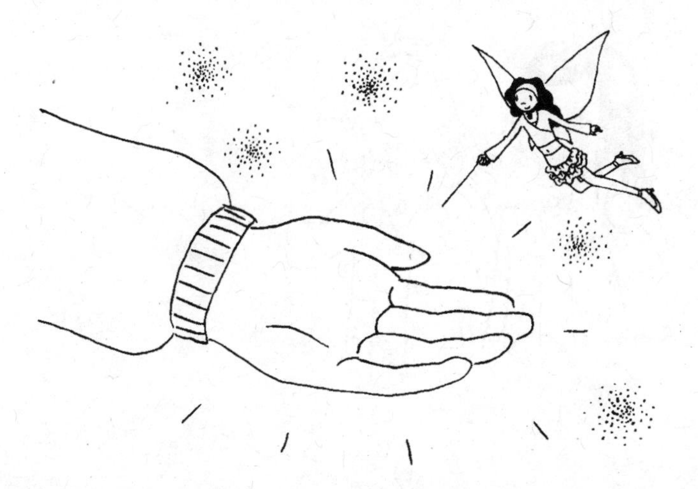

qui disparaît alors instantanément pour retourner en toute sécurité au Royaume des fées, laissant derrière elle des traces d'étincelles orange.

Rachel et Karine ramassent leurs sacs et se dirigent vers la sortie.

— À bientôt! lance Chloé au moment où Rachel ouvre la porte.

— Au revoir! répondent les fillettes.

La petite fée fait une pirouette dans un tourbillon de lumière dorée et s'éloigne à toute vitesse.

— Je suis contente que nous ayons pu l'aider, dit Rachel d'un ton joyeux.

— Moi aussi, renchérit Karine.

Une étincelle près du plafond attire son regard; elle lève les yeux. Une seule boule disco tourne encore, brillant et projetant des étincelles sous l'effet de la magie des fées.

— Regarde! s'écrie-t-elle. Chloé a laissé

une boule disco!

Rachel éclate de rire.

— À partir de maintenant, il y aura toujours de la magie dans le magasin, dit-elle.

Puis, apercevant l'autobus qui tourne au

coin de la rue principale, elle ferme la porte derrière elle et s'écrie :

— Allons-y! Nous devons attraper l'autobus, Karine.

Elles se mettent à courir le long de la rue.

— Quelle belle journée, n'est-ce pas?

— Et qui sait ce que demain nous réserve? souffle Karine.

Elles arrivent à l'arrêt juste à temps pour sauter dans l'autobus.

— Je ne sais pas, répond Rachel en souriant, mais je suis sûre que ce sera magique!

LES FÉES DES PIERRES PRÉCIEUSES

Rachel et Karine ont aidé India, Scarlett, Émilie et Chloé à récupérer leurs pierres précieuses magiques. Pourront-elles aussi venir en aide à

Annie, la fée des améthystes?

— Karine, nous sommes arrivées! annonce Rachel Vallée en regardant à travers les vitres de la voiture.

Elle désigne un grand panneau sur lequel il est inscrit : BIENVENUE AU MANOIR COMBOURG.

— J'espère qu'il ne va pas pleuvoir, réplique Karine Taillon, la meilleure amie de Rachel,

en levant les yeux vers le ciel nuageux.

Puis, le manoir attire son regard.

— Oh, regarde Rachel, c'est le manoir! N'est-il pas magnifique?

Le Manoir Combourg s'élève au bout d'une longue allée de graviers. C'est une grande maison victorienne avec une immense porte d'entrée en bois, des rangées de fenêtres et du lierre qui court le long des murs de briques rouges. Le manoir est entouré de jardins remplis de fleurs et d'arbres dont les feuilles chatoyantes se sont parées des tons rouge et or de l'automne.

M. Vallée s'engage dans le parc de stationnement. Puis Rachel s'exclame :

— Regarde là-bas, Karine, c'est Le parcours aventure!

Karine voit le parcours qui s'étend sur une colline derrière le manoir. Il semble vraiment génial!

Elle voit aussi des pneus qui se balancent au bout d'une corde, une glissoire argentée et, au centre, ce qui semble être une grande cabane, construite autour d'un chêne imposant.

— N'est-ce pas merveilleux? murmure Karine à l'oreille de Rachel en descendant de la voiture. Les fées adoreraient cette cabane dans l'arbre!

Rachel sourit et hoche la tête. Karine et elle ont bien de la chance d'être amies avec les fées! Chaque fois que des problèmes surviennent au Royaume des fées, les deux fillettes aident les fées du mieux qu'elles le peuvent. Elles ont déjà vécu de nombreuses aventures magiques et elles savent, sans aucun doute, qu'il y en a d'autres à venir!

Dans la même collection

Déjà parus :

India, la fée des pierres de lune

Scarlett, la fée des rubis

Émilie, la fée des émeraudes

Chloé, la fée des topazes

Annie, la fée des améthystes

À venir :

Sophie, la fée des saphirs

Lucie, la fée des diamants